D1500750

AVEZ-VOUS LU

les classiques de la littérature ?

ISBN : 978-2-81020-000-9

© Rue de Sèvres, Paris 2019

www.editions-ruedesevres.fr
Tous droits de reproduction et d'adaptation strictement réservés pour tous pays.
Dépôt légal : novembre 2019
Imprimé en France par Clerc

SoLEDAD BRAVi   PASCALE FREY

AVEZ-VOUS LU
les classiques de la littérature ?

RUE DE SÈVRES

La Barbe bleue
de Charles Perrault

Imaginez un cocktail au Café de Flore avec Charles Perrault, La Fontaine, Molière, Racine et Madame de Sévigné, discutant prix littéraires et comparant leurs droits d'auteur. Nous sommes au XVIIᵉ siècle, le Flore n'existe pas encore, mais toutes ces personnalités tiennent le haut du pavé culturel. Perrault, pour sa part, a 69 ans lorsqu'il publie *La Barbe bleue*, l'un de ses contes les plus macabres. Y a-t-il une morale à l'histoire de ce tueur en série, qui, au divorce, préfère l'assassinat ? Certes la victime s'est montrée trop curieuse (en pénétrant dans la pièce interdite) et vénale (en épousant un homme pour sa fortune), mais ceci ne justifie pas que son mari tente de l'égorger. L'histoire se termine cependant bien (une des règles du genre) puisque : 1. elle est sauvée par ses frères ; 2. ils tuent La Barbe bleue ; 3. elle hérite de la fortune de son défunt mari. Cette histoire se révélera aussi une éternelle source d'inspiration pour des opéras, des films, des ballets et même d'autres romans.

Charles Perrault naît en 1628. Il se lance dans des études de droit mais écrit des vers durant ses loisirs. Tout l'inspire : le mariage de Louis XIV, la naissance du Dauphin… En 1663, proche de Colbert, il devient un personnage très en vue de la vie parisienne. À 44 ans, il épouse une jeune femme de quelques décennies sa cadette avec laquelle il aura quatre enfants. Devenu veuf, il se consacre à la poésie religieuse avant de se lancer dans l'écriture de contes de fées, dont certains sont devenus mythiques : *Peau d'Âne, La Belle au bois dormant, Cendrillon, Le Petit Chaperon rouge, Le Chat botté, Le Petit Poucet* et notre *Barbe bleue*.

La Barbe bleue

1 Barbe bleue
vit dans une très
très belle maison

2 mais comme il est moche
à cause de sa barbe,
il n'arrive pas à se marier

je leur fais peur

3 sa voisine a deux
jolies filles

4 pour les convaincre,
il leur fait visiter
sa demeure

j'aimerais épouser une de vos filles

WooW

ici, la vingt-huitième chambre

5   du coup, la cadette
    le trouve moins
    vilain

6   après un mois de
    mariage, Barbe bleue
    part en voyage

toute cette
magnifique
vaisselle,
ces carrosses...

je me
marie !

tu peux
inviter
toutes
tes cops,
faire
la teuf
même

7   il remet à sa femme
    le trousseau de clés
    de toutes les portes de
    la maison, même celle
    du coffre-fort

8   elle invite toutes
    ses copines qui
    s'extasient devant
    tant de richesses

seule
interdiction,
utiliser
la petite clé
de son
cabinet
privé

TROP BEAU !

9 mais elle n'a qu'une seule idée en tête, voir ce qu'il y a dans le cabinet privé

pourquoi pas cette pièce-là, c'est très agaçant !

10 elle ouvre la porte et découvre des femmes suspendues et égorgées

11 affolée, elle laisse tomber la petite clé par terre, mais il reste du sang collé dessus

12 quand le mari rentre et qu'il voit la clé salie, il dit à sa femme qu'il va l'égorger

accorde-moi juste un instant pour prier

13　elle grimpe à la tour
　　et appelle sa sœur
　　qui est aussi
　　sa voisine

14　elle lui demande
　　si elle ne voit pas
　　arriver leurs frères
　　qui devaient lui
　　rendre visite

15　alors que Barbe bleue
　　s'apprête à lui trancher
　　la gorge, ses frères
　　arrivent enfin

16　la voilà veuve
　　et très riche

Roméo et Juliette
de William Shakespeare

Cette tragédie en cinq actes est probablement l'une des œuvres
les plus célèbres de William Shakespeare. Écrite en 1597,
elle trouve sa source bien plus tôt, notamment chez le poète Arthur Brooke
qui publia une trentaine d'années auparavant *The Tragical History
of Romeus and Juliet*, une version assez indigeste de ce drame.
Le grand Will n'avait plus qu'à se baisser pour la cueillir,
y mettre sa patte, et la transformer en mythe romantique éternel.
Roméo et Juliette, c'est bien sûr une histoire d'amour, mais aussi une terrible
succession de malchance. Entre le messager qui ne délivre pas
sa missive à temps, le plan pourri de frère Laurent qui pousse Juliette
à faire semblant d'être morte, la bagarre qui tourne mal…
Le sort s'acharne contre les amoureux. Mais cette issue dramatique les rendra
immortels, car imaginons-les un instant survivants : Roméo Montaigu se serait
empâté (trop de pasta), Juliette Capulet aurait eu des vergetures
(trop de bambini)… et plus personne n'en parlerait aujourd'hui !

« Être ou ne pas être »… Cette polémique a longtemps pesé sur la destinée de **William Shakespeare**. Est-ce que l'homme né en 1564 à Stratford-upon-Avon était bien l'auteur d'une œuvre qui a traversé les siècles et le monde ou n'était-ce qu'un prête-nom ? Il est admis aujourd'hui que Shakespeare a bien écrit ces pièces, probablement en collaboration avec d'autres, comme le voulait la coutume de l'époque.
Marié à Anne Hathaway dont il aura trois enfants, il quitte sa ville natale ainsi que sa femme pour faire carrière à Londres. Il signe des comédies (*Beaucoup de bruit pour rien*, *Les Joyeuses Commères de Windsor*), des tragédies (*Hamlet*, *Othello*, *Macbeth*) et des pièces historiques. Il reste aujourd'hui l'un des auteurs les plus traduits dans le monde.

Roméo et Juliette

1 À Vérone, deux familles, les Montaigu et les Capulet, se détestent

2 les Capulet font une fête, Roméo tape l'incruste, masqué

3 quand Roméo voit Juliette, c'est le coup de foudre

4 il ne sait pas que c'est la fille des Capulet, et quand il s'en rend compte, c'est trop tard

5   *ils se marient
en cachette*

6   *tout de suite après
leur mariage,
le cousin de Juliette
tue le meilleur ami
de Roméo*

7   *Roméo venge
immédiatement
son meilleur ami*

8   *pour ce meurtre,
le prince de Vérone
bannit Roméo
de la ville*

9   mais avant de
partir, Roméo passe
sa nuit de noces
avec Juliette

10   les parents de
Juliette ignorent
tout de ce mariage

Juliette est triste à cause de la mort de son cousin

11   ils décident, pour
lui remonter le moral,
de la marier avec
le comte de Paris

ça va te changer les idées !

12   heureusement,
frère Laurent
a l'idée de lui donner
un faux poison

tout le monde te croira morte

et je m'enfuirai avec Roméo

13   mais le messager
n'a pas réussi
à prévenir à temps
Roméo qui croit
Juliette vraiment morte

14   il se glisse à
ses côtés dans
le tombeau et avale
du vrai poison

15   quand Juliette
se réveille et découvre
Roméo mort à côté d'elle,
elle se poignarde

16   les deux pères,
accablés de
chagrin,
se réconcilient
et édifient
une statue
en or
de leurs
enfants

L'Étranger
d'Albert Camus

« Trois ans pour faire un livre, cinq lignes pour le ridiculiser »,
écrit Albert Camus devant l'accueil mitigé que reçoit *L'Étranger*
au moment de sa publication. Ce qui ne laisse en rien augurer de l'avenir,
puisqu'il reste le troisième roman francophone le plus lu après *Le Petit Prince*
de Saint-Exupéry et *Vingt Mille Lieues sous les mers* de Jules Verne.
Il est de surcroît traduit en soixante-huit langues.
C'est pourtant un texte étrange que l'histoire de cet homme condamné à mort
non pas pour ce qu'il a commis (le meurtre d'un Arabe),
mais pour la profonde indifférence qu'il a montrée à la mort de sa mère.
Ce récit décrit un homme qui refuse de jouer le jeu,
de mentir, et qui mourra pour cette rébellion.
Il fait partie de ce que Camus appelait le « cycle de l'absurde »
qui comprendra aussi *Le Mythe de Sisyphe*, *Le Malentendu*
et *Caligula* avec en fil rouge cette question cruciale :
« La vie vaut-elle la peine d'être vécue ? »

Albert Camus naît le 7 novembre 1913 en Algérie. Grâce à son instituteur, Louis Germain,
qui détecte une vive intelligence chez cet enfant, il va s'échapper de son milieu très pauvre (sa
mère ne sait pas écrire). C'est d'ailleurs à ce monsieur Germain qu'il dédiera son discours
du prix Nobel, en 1957. Autre rencontre essentielle, son professeur de philosophie, Jean
Grenier, qui l'encourage à suivre des études de lettres. Il devient journaliste, écrit des pièces
de théâtre et des essais, se marie deux fois, aura des jumeaux qu'il baptisera « la peste et
le choléra » lorsqu'ils l'exaspéreront ! En 1947, sept ans après *L'Étranger*, il publie *La Peste*
qui, en quelques semaines, s'envole à 96 000 exemplaires. Il meurt le 4 janvier 1960,
dans un accident de voiture conduite par son meilleur ami Michel Gallimard.

L'Étranger

1 La mère
de Meursault meurt

2 il refuse
de voir le corps

aujourd'hui
maman est
morte. Ou peut-
être hier,
je ne sais pas.

NON!

3 il boit du café au
lait et fume à côté du
cercueil sans montrer
aucun chagrin

4 tous les gens
de la maison de
retraite assistent
à la veillée

ça gêne
qui si je
fume?

5   la distance est
grande de la maison
de retraite à l'église

6   le lendemain,
il rencontre Marie
à la piscine

7   ils vont à la plage,
ils couchent ensemble.
Tout paraît lui
être égal

8   Meursault fait
la connaissance de
Raymond, son
voisin

9   Meursault passe
la journée à la plage
avec Marie et Raymond

10   ils croisent deux
Arabes, dont l'un
est le frère de la
copine de Raymond

11   Meursault
retourne seul
à la plage

12   il recroise les Arabes
et voit le frère sortir
à nouveau son couteau

13   Meursault tire sur le frère et l'achève quand il est à terre

14   il est arrêté

PAN! PAN! PAN! PAN!

vous avez fait ça parce que votre mère est morte ?

vous regrettez votre geste ?

15   le jour du procès, il est surtout jugé parce qu'à la mort de sa mère, il ne s'est pas comporté comme il aurait dû

INDIFFÉRENT

16

MAUVAIS FILS!

FUMER DEVANT UN MORT!

PAS VOULU VOIR LE CORPS!

CAFÉ AU LAIT!

OUH!

PAS DE LARMES!

FERNANDEL!

OUH!

OUH!

Le docteur Jivago
de Boris Pasternak

Pendant trente ans, la lecture du *docteur Jivago* a été interdite en Russie, et Boris Pasternak fut obligé de refuser le prix Nobel que l'Académie de Stockholm voulait lui attribuer en 1958, de peur d'être exilé. Cela ne l'empêcha cependant pas de se voir exclu de l'Union des écrivains soviétiques. Ce roman, le poète l'avait en tête depuis des années, mais il le débute vraiment en 1948. Il rêve d'une fresque inspirée par ses maîtres du romanesque, Balzac, Dickens et Tolstoï ; et veut brosser un tableau historique de son pays qui débuterait avant la Révolution russe et se terminerait après la Seconde Guerre mondiale. À Iouri Jivago il donne sa passion de la poésie, à Lara les traits de sa maîtresse Olga Ivinskaïa.

Le livre est d'abord publié en Italie en 1957 (malgré les pressions du parti communiste italien pour l'en empêcher), l'année suivante en France et dans d'autres pays européens… Boris Pasternak mourra en Russie juste avant d'en voir la version hollywoodienne avec les inoubliables Omar Sharif et Julie Christie se poursuivant dans la steppe au son des violons de Maurice Jarre.

Boris Pasternak naît le 10 février 1890 dans une famille d'artistes : un père peintre et une mère pianiste. À 13 ans, il pense devenir pianiste lui aussi, mais abandonnera cette vocation quelques années plus tard pour suivre des études de philosophie et écrire de la poésie. Sa vie sentimentale semble aussi compliquée que celle de Jivago : en 1923, il se marie, a un enfant, quitte sa femme Euguenia pour une certaine Zinaïda avant de tomber amoureux d'Olga. À partir de 1936, il ne peut plus se mentir sur ce qui se passe réellement dans son pays et affiche publiquement son désaccord. Il mourra d'un cancer en 1960, longtemps avant d'être réhabilité.

Le docteur Jivago

1   La mère de Iouri
est morte et son père
va se suicider

2   il est recueilli
par la famille
Groméko

la fille, Tonia ↓

3   devenus adultes,
Tonia et Iouri Jivago
se marient

4   c'est la guerre,
Iouri part pour le
front, il est blessé à
cause d'une explosion

5   la révolution éclate, Jivago rejoint sa famille à Moscou, Lara se rend dans l'Oural

6   les Jivago partent aussi pour l'Oural, à Moscou, il n'y a plus rien à manger

7   à la bibliothèque, Iouri tombe sur Lara

8   alors que Iouri est partagé entre les deux femmes, il est enlevé par l'armée

9   il réussit à
s'échapper, sa famille
est repartie à Moscou,
mais Lara est là

10   Iouri reste
dans l'Oural
pour écrire

11   mais il finit par
retourner à Moscou pour
rechercher sa famille
qui, elle, s'est exilée
à Paris

12   il rencontre
Marina, avec qui
il aura deux filles

13 dans un tramway,
il fait une crise
cardiaque et meurt

14 à son enterrement,
Lara est là

le frère de Iouri,
Evgraf

15 elle raconte à
Evgraf qu'elle a eu
une fille avec Iouri,
Tania

16 le frère réussit
à retrouver sa
nièce, bien des
années plus tard

je l'ai
abandonnée

je
suis
ton
tonton

L'Écume des jours
de Boris Vian

Vous n'avez jamais rêvé d'un pianococktail qui préparerait une boisson
selon l'air que vous jouez? D'un cuisinier qui ferait des miracles
avec ce qu'il n'a pas? De vous promener à Saint-Germain-des-Prés
un samedi après-midi, incognito, enveloppé d'un nuage rose?
Voilà pour le côté « la vie est un rêve » de *L'Écume des jours*,
le roman un brin loufoque que Boris Vian publia en 1947.
Mais assez rapidement les choses se corsent, la maladie et la ruine
envahissent le quotidien des personnages et la farce tourne au drame.
Ce livre, Boris Vian l'a écrit au dos d'imprimés de l'AFNOR
(Association française de normalisation) où il travaille.
Malgré une écriture inventive, d'innombrables trouvailles, des jeux de mots
et autres contrepèteries, en dépit de l'enthousiasme de ses pairs
(Raymond Queneau, Simone de Beauvoir, Jean-Paul Sartre pas rancunier
d'être transformé en Jean-Sol Partre), le livre fait un flop. Le succès viendra
plus tard, trop tard pour Boris Vian qui ne sera plus là pour en profiter.

Boris Vian naît le 10 mars 1920. Après des études de philosophie, il passe un diplôme
d'ingénieur. En 1941, il se marie avec Michelle dont il divorcera après avoir eu deux
enfants, puis se remariera en 1954 avec Ursula Kübler. Trompettiste de jazz, journaliste,
écrivain sous son propre nom mais aussi auteur de pastiches sous celui de Vernon Sullivan
(*J'irai cracher sur vos tombes* est le plus célèbre), traducteur, chanteur, compositeur et inoubliable parolier (*Le Déserteur*, *Fais-moi mal Johnny*), il mène une vie bien remplie. Comme
s'il pressentait que son passage sur terre serait bref. Il meurt à 39 ans, de la maladie cardiaque dont il souffre depuis toujours.

L'Écume des jours

1   Colin a invité son
ami Chick à dîner

2   Nicolas, le cuisinier,
va leur concocter
un pâté d'anguille

3   Tandis que
Colin prépare
des cocktails
avec son piano

4   Colin est invité
à l'anniversaire
de Dupont, le chien
d'une copine

5   là, il rencontre Chloé, ils tombent amoureux

6   ils se promènent partout dans leur nuage rose

7   il la demande en mariage

8   Alise, une autre fille, aimerait se marier avec Chick

9   mais Chick n'a
plus d'argent,
il dépense tout pour
sa collection de livres
de Jean-Sol Partre

10   Alise, pour se venger,
tue Jean-Sol Partre
et brûle les
librairies qui
vendent ses livres

11   Chick, en s'opposant
au percepteur
d'impôts,
meurt d'une balle

12   dans la rue, Chloé
tombe, tout le monde
croit qu'elle a une
syncope

13   mais c'est une maladie très grave

14   le traitement de Chloé coûte si cher que Colin n'a plus d'argent

15   il trouve un travail : il annonce les malheurs le jour d'avant

16   c'est comme ça qu'il sait avant tout le monde que Chloé va mourir

Le Rouge et le Noir
de Stendhal

À l'origine de ce livre, il y a un fait divers authentique.
Antoine Berthet, le précepteur des enfants Michaud de La Tour,
file le parfait amour avec leur mère. Cela n'est pas du goût du père
qui ne va quand même pas payer quelqu'un pour être cocu. Viré.
Quelque temps plus tard, employé par les Cordon, Antoine se fait là aussi
renvoyer parce que la jeune fille de la famille s'intéresse trop à lui.
Reportant tout son malheur sur sa première maîtresse,
il entre le 22 juillet 1827 dans l'église de Brangues, tire deux balles
sur madame Michaud de La Tour, deux autres sur lui.
Meilleur amant que tireur, il loupe tout le monde, ce qui ne l'empêchera pas
d'être condamné à mort pour assassinat avec circonstances aggravantes
alors que sa victime n'est même pas blessée. Ce roman recevra un accueil
tiède inspirant à un Flaubert mauvais camarade la sentence « mal écrit
et incompréhensible ». Quant au titre, il symbolise les deux couleurs
de l'ambition de l'époque : le rouge de l'habit militaire, le noir de la soutane.

Né **Henri Beyle** le 23 janvier 1783, Stendhal perd sa mère qu'il adorait à 7 ans. Il étudie
les mathématiques, quitte Grenoble pour Paris, ne s'y plaît pas et de ce fait renonce à
entrer à l'École polytechnique. Il enchaîne les liaisons… et les ruptures, trouve du travail
dans l'armée et, fan de Napoléon, le suit partout (au passage il trouvera son pseudonyme
dans la petite ville allemande de Stendal). Au retour des Bourbon au pouvoir, il part vivre en
Italie, se met à écrire un premier roman, *Armance* (1827), puis *Le Rouge et le Noir* (1830).
De retour à Paris, il publie *La Chartreuse de Parme* (1839). Il meurt le 22 mars 1842 d'une
attaque d'apoplexie.

Le Rouge et le Noir

1 Monsieur de Rênal et sa femme habitent la petite ville de Verrières

2 ils embauchent Julien Sorel, apprenti curé, comme précepteur pour leurs trois enfants

3 pour s'occuper, il dragouille madame de Rênal, qui a dix ans de plus que lui, et tombe amoureux

4 un de ses fils tombe gravement malade, madame de Rênal se dit que c'est une punition divine

5   Monsieur de Rênal
reçoit une lettre où
on lui dit qu'il est
cocu

6   Julien Sorel part
pour le séminaire mais
il est très différent
des autres étudiants

7   il se fait frapper,
et il décide de
quitter le séminaire

8   il est embauché par
le marquis de La Mole
et séduit sa fille,
Mathilde

9   elle lui demande
    de se marier
    avec Julien

10 le marquis demande
    à son ancienne
    employeuse, madame
    de Rênal, si Julien
    est digne de confiance

11 le marquis refuse
    que Julien épouse
    sa fille

12 Julien va chez
    madame de Rênal
    pour se venger

13 il lui tire dessus et la blesse

14 madame de Rênal et Mathilde viennent le voir en prison

15 Julien Sorel refuse de faire appel, il est décapité

16 madame de Rênal, qui l'aimait toujours, meurt de chagrin

Mémoires d'une jeune fille rangée
de Simone de Beauvoir

On ne naît pas Simone de Beauvoir, on le devient.
Comment une jeune fille choyée et bourgeoise se transforme-t-elle
en tête de proue féministe ? Pourquoi renoncer au mariage et aux enfants
pour se consacrer à l'écriture ? Après avoir longtemps tourné autour du pot
et du « moi », et cherché diversion dans les romans, elle se laisse convaincre
par Sartre qu'elle est plus intéressante que tous les personnages
qu'elle pourrait imaginer. Une autre motivation l'anime : évoquer,
ressusciter même, Zaza, son amie de toujours, morte en 1929.
Elle se décide alors à piocher dans son journal de jeunesse,
sa correspondance et ses albums de photos pour raconter son enfance
et son adolescence. Elle publie *Mémoires d'une jeune fille rangée* (1958),
qui changera la vie de plusieurs générations de femmes.
Ce premier volume autobiographique (il y en aura quatre) se termine
lorqu'elle a vingt et un ans et s'achève sur une certitude (elle sait
qu'elle écrira), une rencontre (Sartre fera désormais partie de sa vie)
et un surnom (Castor). L'avenir lui appartient.

Simone de Beauvoir naît le 9 janvier 1908 à Montparnasse. Petite fille modèle, elle se rebelle à l'adolescence. Elle suit de brillantes études (elle rencontre Sartre à la Sorbonne), obtient l'agrégation de philosophie et devient professeur. Son premier roman, *L'Invitée*, paraît en 1943, suivi du *Deuxième sexe*, puis des *Mandarins* en 1954 qui lui vaudra un prix Goncourt. Côté vie privée, si elle forme avec Sartre un couple mythique, tous deux décident très vite d'accepter des amours contingentes. Avec Claude Lanzmann ou Nelson Algren en ce qui la concerne et pour ne citer qu'eux. Elle meurt le 14 avril 1986.

Mémoires d'une jeune fille rangée

1   Simone de Beauvoir
se souvient de son
enfance

2   elle est une
enfant gâtée et
docile

3   elle est fan de la
comtesse de Ségur
et se met à écrire

4   à l'école, elle devient
très amie avec Zaza

5 ses parents ont
moins d'argent,
ils doivent déménager

6 elle est une ado
moche et mal habillée

7 très tourmentée,
elle se dispute
souvent avec ses
parents

8 elle se pose plein
de questions
excistentielles

mais,
j'ai le
droit de
sortir !

pourquoi
mes
parents
lisent-ils
mon
courrier ?

9   elle ne croit plus
en Dieu et s'éloigne
de la religion

10   elle ne veut pas
d'une vie
traditionnelle

je préfère lire

je n'aurai pas d'enfants

11   elle veut travailler

12   elle entre à la
Sorbonne, en philo

et avec l'homme que je rencontrerai, on formera une équipe

TEAM SB

salut, les boys

Herbaud   Nizan   Sartre

13 Sartre est le premier homme qui la domine intellectuellement

14 ils passent leurs journées à parler

15 son amie Zaza meurt d'une fulgurante maladie

16 l'été, elle quitte Sartre pour les vacances

De sang-froid
de Truman Capote

C'est un romancier en panne d'inspiration qui ouvre le *New York Times* ce matin de novembre 1959 et lit : « Un riche fermier massacré avec trois membres de sa famille. » Depuis quelque temps déjà, Truman Capote veut délaisser la fiction pour écrire un « roman-vérité ». Fasciné par ces quelques lignes, il décide de se rendre sur place alors que les deux coupables n'ont pas encore été arrêtés. Craignant que ses tenues extravagantes et sa voix de fausset ne terrifient les habitants de Holcomb (Texas), il demande à sa meilleure amie, Nelle Harper Lee (l'auteure de *Ne tirez pas sur l'oiseau moqueur*) de l'accompagner. Il ignore à ce moment-là que cette affaire va le hanter longtemps et lui inspirer un chef-d'œuvre. Après avoir rencontré tous les protagonistes, ainsi bien sûr que les deux meurtriers, le voilà obligé d'attendre leur exécution pour pouvoir mettre un point final à son récit. Celui-ci le rendra riche, célèbre, mais pas plus heureux. Cela, c'est une autre histoire...

Truman Capote naît le 30 septembre 1924 à La Nouvelle-Orléans. Ses premiers textes paraissent dans le journal du lycée, puis dans le *New Yorker*. Il écrit un roman, *Les domaines hantés* (1948) qui se vend bien. Ses œuvres les plus connues sont *Petit déjeuner chez Tiffany* (inoubliable Audrey Hepburn dans l'adaptation du personnage de Holly Golightly), puis *De sang-froid*, bien sûr. Mondain en diable, il fréquente celles qu'il appelle ses « cygnes », des femmes de milliardaires qui en font leur mascotte. Mais il commet un suicide social en publiant dans le magazine *Esquire* un texte dans lequel il révèle tous les petits secrets que ses amies lui avaient confiés. Du jour au lendemain, il devient un paria. Il meurt en 1984.

De sang-froid

1 Truman Capote se
   passionne pour
   un fait divers

2 Voici la famille
   Clutter, ils habitent
   une petite ville du Texsas

3 il y a le père, Herb,
   et la mère, Bonnie

4 Nancy, la fille,
   charmante, et
   Kenyon, le fils

5   le 15 novembre 1959,
    ils sont assassinés
    tous les quatre

6   pendant des mois,
    la police va être
    sur les dents
    et la ville terrorisée

enquêteur
Alvin Dewey →
qui ne
dort plus

7   c'est la confession
    d'un détenu qui met
    les policiers sur
    une piste

8   Dick lui dit que
    dès qu'il sera dehors,
    il ira leur rendre
    une petite visite

"?" < j'ai raconté
à Dick que
mes anciens
patrons
étaient
pleins aux
as

< et je
laiserai
pas de
témoin...
HAHAHA

9   la police, grâce à des empreintes, recherche deux hommes

10   comme ils n'arrêtent pas de voler, ils sont faciles à pister

11   ils racontent aux policiers qu'ils ont organisé leur meurtre pendant le voyage jusqu'à la ferme

12   ils sont entrés dans la maison, la porte n'était pas fermée à clé

13   ils ont ligoté toute
la famille et leur
ont mis du sparadrap
sur la bouche

14   ils les ont tués,
chacun dans une
pièce différente

15   à leur procès, on
a l'impression
qu'ils s'en fichent

16   ils passent
plusieurs années
dans le couloir de
la mort

Rebecca

de Daphne du Maurier

« J'ai rêvé la nuit dernière que je retournais à Manderley. »
La première phrase de ce roman paru en 1938 donne le ton :
le personnage principal, c'est cette maison, sur laquelle la première femme
de Maxime de Winter, Rebecca, a régné ; celle dans laquelle
la seconde épouse n'arrive pas à trouver sa place.
Daphne du Maurier a suivi son mari à Alexandrie et ne supporte pas
le climat égyptien. Sa chère Cornouailles lui manque, alors elle la fait revivre
sur le papier. En trois mois, elle boucle l'histoire de ce trio infernal
qui joue avec les codes du thriller : Rebecca est morte mystérieusement,
sans avoir rien perdu de son emprise sur ses proches.
Son éditeur est emballé, il ose un premier tirage de 40 000 exemplaires.
Les États-Unis s'enthousiasment eux aussi et ce sont 200 000 exemplaires
qui s'envolent. La presse le snobe, ce qui ne l'empêchera pas de devenir
un classique de la littérature populaire.

Daphne du Maurier naît à Londres le 13 mai 1907. Son grand-père, George, est romancier,
et son père, Gerald, un homme de théâtre très en vogue. Mariée à Frederick Browning,
dont elle aura trois enfants, elle publie *La Chaîne d'amour*, son premier livre, en 1931.
Mais c'est avec *L'Auberge de la Jamaïque* (1936), adapté au cinéma par Hitchcock,
qu'elle se fait connaître. Hitchcock récidivera avec *Rebecca*, interprété par les inoubliables
Laurence Olivier et Jean Fontaine, puis une vingtaine d'années plus tard avec la nouvelle
Les Oiseaux. Il y aura encore d'autres beaux romans comme *Le Général du roi* ou *Ma cousine
Rachel*. La romancière meurt en Cornouailles le 19 avril 1989.

Rebecca

1   L'héroïne est dame
de compagnie de
madame Van Hopper

2   elles font la
connaissance de
Maxime de Winter

monte-Carlo

3   madame Van Hopper
a la grippe,
l'héroïne se rapproche
de Maxime

4   Maxime la demande
en mariage et ils
partent en voyage
de noces à Venise

5   après quelques mois de voyage, ils rentrent à Manderley

6   madame Danvers, la chef des domestiques, avait une passion pour l'ancienne femme, Rebecca

et je DÉTESTE la nouvelle

7   dans toute la maison plane l'ombre de Rebecca

8   rien n'a changé, comme si elle était toujours vivante

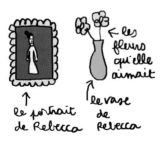

← les fleurs qu'elle aimait

↑ le portrait de Rebecca

le vase de Rebecca

son papier à lettres prêt à être utilisé

9 la jeune épouse se sent 10 elle organise
   très mal à l'aise   le bal costumé
                                 traditionnel

11   le soir du bal,   12   on retrouve,
       son mari blêmit   à côté de chez eux
       en la voyant   un bateau au fond
                                  de l'eau, avec le corps
                                  de Rebecca

13 Maxime avoue tout à sa nouvelle femme

14 l'enquête montre que Rebecca avait rendez-vous avec un médecin à Londres

15 la police classe l'affaire en suicide, Maxime est sauvé

16 mais madame Danvers devine la vérité et venge la mort de Rebecca

Huis clos
de Jean-Paul Sartre

Jean-Paul Sartre avait d'abord imaginé trois personnages enfermés dans une cave pendant un bombardement, avant de changer d'avis et de « boucler ses héros en enfer pour l'éternité ».
Initialement intitulée *Les Autres*, cette pièce en un acte, jouée pour la première fois au théâtre du Vieux-Colombier en 1944, met en scène des personnages à la fois victimes et bourreaux.
Alors qu'ils s'attendaient à brûler dans les flammes, ils s'aperçoivent que « l'enfer, c'est les autres ». Selon Sartre, cette pièce a toujours été mal comprise : « On a cru que je voulais dire par là que nos rapports avec les autres étaient toujours empoisonnés, que c'étaient toujours des rapports infernaux. Or, c'est tout autre chose que je veux dire.
Je veux dire que si les rapports avec autrui sont tordus, viciés, alors l'autre ne peut être que l'enfer. » Cette pièce connaîtra un succès jamais démenti au fil des décennies… Elle sera même jouée à Broadway !

Jean-Paul Sartre naît le 21 juin 1905 et perd son père très jeune. Il entre à l'École normale supérieure en 1924. Après avoir d'abord échoué, il termine premier à l'agrégation de philosophie, juste devant… Simone de Beauvoir, qu'il vient de rencontrer. Nourrissant l'ambition d'être à la fois Stendhal et Spinoza, il publie, en 1938, son premier roman, *La Nausée*, suivi en 1943 de *L'être et le néant*, ouvrage qui présente les thèses majeures de l'existentialisme. À la fin de la guerre, il fonde avec quelques amis la revue engagée *Les Temps modernes*. En 1963, il publie un essai autobiographique *Les Mots*, et en 1964 refuse le prix Nobel. Il mourra le 15 avril 1980, et cinquante mille personnes descendront dans les rues de Paris pour l'accompagner jusqu'au cimetière du Montparnasse.

Huis clos

1 Trois personnes mortes
se retrouvent ensemble
dans une pièce

2 Garcin a
beaucoup trompé
sa femme

3 il dirigeait un journal
pacifiste dans un
pays en guerre,
il a refusé de combattre

4 Estelle a épousé
un vieil homme
pour son argent

5   elle est tombée
    enceinte
    de son amant

6   elle noie son bébé
    dans un lac

7   l'amant se suicide,
    elle meurt d'une
    pneumonie

8   Inès est lesbienne,
    elle a piqué la
    femme de son cousin

9   la femme a ouvert
le gaz et elles
sont mortes toutes
les deux

10   ils cohabitent
ensemble parce
qu'ils sont en enfer

11   de là-haut, ils voient
tout ce qui
se passe sur terre:
leur enterrement...

12   ils entendent tout
ce que les gens
disent sur eux

13 la cohabitation devient difficile

14 ils n'arrêtent pas de se disputer

15 et comprennent qu'ils sont chacun le bourreau des deux autres

16 ils sont enfermés tous les trois ensemble

Jane Eyre
de Charlotte Brontë

Le presbytère de Haworth ressemble à un atelier d'écriture.
Branwell et ses sœurs, Charlotte, Emily et Anne, passent leurs journées
à griffonner : des romans (rarement terminés) et de la poésie.
Sans grand succès, puisque leur dernier recueil de poèmes collectif
et publié à compte d'auteur s'est vendu... à deux exemplaires.
Pas découragée, Charlotte s'attaque à un nouveau livre.
En un an, elle termine l'histoire de Jane, cette héroïne si peu glamour
qui tombe follement amoureuse de son patron, M. Rochester.
Charlotte a trente et un ans, son roman sort en 1847 sous le pseudonyme
de Currer Bell et il emballe très vite critique et lecteurs.
Devant cet accueil, Charlotte sort du bois et révèle sa véritable identité.
Les rééditions se succèdent et ses sœurs profitent de l'aubaine
pour voir leurs livres publiés dans la foulée : *Les Hauts de Hurle-Vent*
et *Agnes Grey*. La petite entreprise Brontë était née.

Charlotte Brontë naît le 21 avril 1816 à Thornton, dans le Yorkshire. Son père, le révé-
rend Patrick Brontë, à la mort de sa femme en 1821, expédie ses quatre filles (Anne est
trop jeune) en pensionnat. Les conditions sont si dures que les deux aînées meurent, puis
Charlotte et Emily sont rapatriées au presbytère. Livrées à elles-mêmes, elles s'occupent en
écrivant tout en étant conscientes qu'il faudra bientôt qu'elles gagnent leur vie. Emily et Anne
ont juste le temps de publier leurs romans avant d'être emportées par la tuberculose. Restée
seule, déprimée, Charlotte écrira néanmoins deux autres récits, *Shirley* et *Villette*, et épou-
sera en 1854 le suppléant de son père, Arthur Bell Nicholes. Elle meurt l'année suivante.

Jane Eyre

1 Jane, orpheline, est recueillie par une tante, Mrs Reed. Elle et ses enfants ne la supportent pas

2 la tante s'en débarrasse en la mettant en pension

tout le monde est maigre tellement la nourriture est déqueu

3 les gens sont gentils, elle est amie avec Helen, et adore une prof

4 adulte, Jane devient gouvernante dans un grand manoir

5   elle doit s'occuper
d'une petite fille
de 7 ans

6   elle entend parfois
des cris, des rires
hystériques

7   Edward Rochester,
le propriétaire,
revient de voyage
quelques mois
plus tard

8   une nuit, Jane est
réveillée par de drôles
de bruits, elle se lève.
La chambre
de Rochester est en feu

9   Jane tombe
amoureuse de Rochester,
lui fait mine d'aimer
une voisine

10   c'est pour la tester,
car il l'aime
comme un fou

11   à l'église, pendant
la cérémonie,
un homme dit que
ce mariage est impossible

12   la folle qui rit
de façon hystérique,
c'est Berthe Mason,
sa femme

13   humiliée, Jane s'enfuit pendant la nuit. Elle est recueillie par une famille

14   son cousin, qui est pasteur, doit partir en mission

15   elle trouve le manoir brûlé et Rochester aveugle avec une main en moins

16   toujours amoureux, ils décident de se marier et ont un fils

Lolita
de Vladimir Nabokov

Le prénom Lolita est devenu un nom commun
pour décrire une nymphette qui allume les hommes.
Ce n'est pourtant pas le sujet du roman,
car *Lolita* ne raconte pas l'histoire d'une jeune perverse
qui excite le mari de sa mère, comme on a longtemps voulu
nous le faire croire, mais plutôt la trajectoire d'un obsédé de 37 ans
qui épouse une femme pour se rapprocher de sa proie, sa très jeune fille.
À l'époque, les éditeurs américains refusent de le publier.
Il paraît donc d'abord en France, mais en anglais (en 1955),
puis quatre ans plus tard traduit en français à l'initiative
de Raymond Queneau, le papa de Zazie.
Le texte fait scandale au point d'être interdit par le ministre de l'Intérieur.
La presse s'en mêle, il y a un procès, bref, on ne pouvait rêver
meilleure publicité. *Lolita* paraîtra finalement aux États-Unis en 1958
et sera même adapté au cinéma par Stanley Kubrick.

Vladimir Nabokov naît à Saint-Pétersbourg en 1899, dans un milieu aristocratique et libéral.
Après la Révolution, la famille s'exile à Londres, puis à Berlin (où le père sera assassiné
par des fascistes russes), à Paris, aux États-Unis où il s'installe avec sa femme Vera et leur
fils Dimitri (il sera naturalisé américain en 1945) et enfin en Suisse où il mourra en 1977.
Passionné de papillons, d'échecs et de littérature, il commence par écrire des poèmes et
ses premiers romans en russe, avant de passer à l'anglais avec *La vraie vie de Sebastian
Knight* puis *Lolita*, un scandale et un succès : Nabokov pourra désormais vivre de sa plume.

Lolita

1 Humbert Humbert écrit sa confession depuis sa cellule

2 il louait une chambre dans une maison

3 il devient fou de la fille de la proprio, Lolita, âgée de 12 ans

4 tout de suite, leurs rapports sont ambigus, elle l'allume grave

5   Charlotte décide
d'envoyer sa fille
en summer camp,
deux mois

6   et avoue à
HH qu'elle est
amoureuse de lui

7   par peur de ne
plus voir Lolita,
il l'épouse

8   Charlotte trouve
le journal intime
de HH

9   grosse scène de
ménage. Elle sort
de la maison,
se fait écraser
et meurt

10   HH part
chercher Lolita
dans son camp

11   ils font un grand
voyage à travers
les États-Unis

12   ils rentrent et
s'installent en ville,
mais il a peur
qu'elle rencontre
des garçons

13   donc, ils repartent, mais elle s'enfuit

14   HH part à sa recherche mais ne la trouve pas. Trois ans plus tard, il reçoit une lettre

15   HH va la voir, elle lui dit qu'elle a quitté l'autre vieux

16   elle lui livre le nom de l'autre vieux, Clare Quilty, il le dézingue

Phèdre
de Jean Racine

Phèdre n'est pas une héroïne de première jeunesse
puisqu'elle a déjà inspiré Sophocle, Euripide et Sénèque.
Jean Racine reprend le canevas créé par ses prédecesseurs
pour imaginer une tragédie en cinq actes et en vers qui deviendra
l'une de ses œuvres les plus célèbres. Grand admirateur de Corneille,
de trente-trois ans son aîné, il lui avait soumis l'une de ses premières pièces.
Jaloux, le maître lui aurait répondu qu'il avait un grand talent
pour la poésie, mais pas pour le théâtre. Lorsque *Phèdre* est jouée
pour la première fois le 1er janvier 1677 à l'hôtel de Bourgogne,
le clan-Corneille et le clan-Racine s'affrontent.
De surcroît, la duchesse de Bouillon est vent debout,
persuadée que l'écrivain s'est inspiré de ses propres frasques
(une liaison avec son neveu) et monte une cabale contre Racine.
C'est ennuyeux, mais pas déterminant puisque *Phèdre* va traverser
les siècles et devenir l'une des pièces phares de la Comédie-Française.

Jean Racine naît le 22 décembre 1639. Après des études de très haut vol à l'abbaye de
Port-Royal, il sort de l'anonymat avec *La Nymphe de la Seine à la Reyne*, une ode jouée
en 1660 pour le mariage de Louis XIV avec Marie-Thérèse d'Autriche. Mais c'est grâce
à *Andromaque* qu'il remporte son premier gros succès en 1667. Suivront *Britannicus*,
Bérénice, et *Iphigénie*, jouée à Versailles. En 1677, peu après la création de *Phèdre*
au théâtre, il épouse Catherine de Romanet dont il aura sept enfants. Durant les années
suivantes, il se consacre peut-être à sa progéniture mais surtout à sa mission de conseiller et
historiographe du roi. Il meurt en 1699.

Phèdre

1   Hippolyte décide de partir à la recherche de son père, Thésée, le roi

2   avant de partir, il va saluer sa belle-mère Phèdre

3   elle est odieuse avec lui

4   puis on vient lui annoncer la mort de Thésée, son époux

5   du coup, Phèdre
peut avouer
à son beau-fils
qu'elle l'aime

6   lui est amoureux
d'Aricie, qui est
prisonnière de
Thésée

7   mais, en fait,
Thésée est vivant

8   Phèdre a
peur qu'Hippolyte
la dénonce

9   Thésée, furieux contre son fils, le chasse

10   Hippolyte veut s'enfuir avec Aricie, mais avant, ils décident de se marier

11   en allant à l'église, Hippolyte meurt dans un accident de char

12   Thésée doute des propos de sa femme

13 Phèdre est désespérée d'apprendre la mort d'Hippolyte

14 elle va avouer la vérité à son mari

15 et lui dit qu'elle a avalé un poison mortel

16 Thésée, en mémoire de son fils, considère Aricie comme sa fille

Manon Lescaut
de l'abbé Prévost

Lorsqu'il publie *Histoire du chevalier des Grieux et de Manon Lescaut*,
plus connue sous le simple titre de *Manon Lescaut*,
Antoine François Prévost n'est ni un débutant ni un inconnu.
Il est l'auteur de *Mémoires et aventures d'un homme de qualité*
(mémoires fictives) qui courent sur plusieurs volumes,
dont *Manon* sera le septième et dernier tome.
Cette histoire d'amour improbable
entre un jeune homme de bonne famille et une fille aux mœurs légères
qui ne résiste pas à l'argent, et donc aux hommes fortunés,
se déroule durant les dernières années du règne de Louis XIV.
Désirant l'améliorer, Prévost remet ce roman sur le chantier
deux décennies plus tard et effectue…
plus de huit cents corrections ! De toute l'œuvre de Prévost,
ce livre est le seul à avoir traversé le temps,
au point de devenir un classique dès le siècle suivant,
salué par de grands noms comme Michelet ou Maupassant.

Antoine François Prévost naît le 1er avril 1697. Il va mener de front une vie militaire,
religieuse, amoureuse et littéraire. Il devient abbé en 1725, tout en continuant à écrire. Il se
défroque trois ans plus tard et entame ses *Mémoires et aventures d'un homme de qualité*.
Pour rattraper le temps perdu, il mène une vie plutôt sulfureuse faite de liaisons, de scan-
dales et de faillites. En tout cas, on ne peut pas lui reprocher d'avoir été paresseux : il laisse
une œuvre monumentale de 65 livres et 47 traductions. Il meurt en 1763.

Manon Lescaut

1 Le chevalier des Grieux croise Manon Lescaut dans une auberge

2 c'est le coup de foudre. Ils projettent de s'enfuir

3 ils habitent un petit appartement à Paris

4 elle rencontre monsieur B, qui la couvre de cadeaux

5   Manon et le chevalier se séparent. Plus tard, elle assiste à une conférence qu'il donne

6   ils se remettent ensemble. Pour gagner de l'argent, il joue et gagne

7   pour faire plaisir à Manon, il loue un appartement à Paris

8   le frère de Manon s'incruste, fait des méga-fêtes et ruine le chevalier

9 le frère présente
à sa soeur un vieil
homme riche,
monsieur de G... M...

10 comme le chevalier
est désespéré, elle
accepte les bijoux et
les cadeaux du vieux

ADULTÈRE 2

((et on se tire avec),

11 le vieux porte
plainte, Manon et
le chevalier sont
arrêtés

12 Manon, cette coquine,
se laisse à nouveau
séduire. Cette fois-ci,
par le fils du vieux

ADULTÈRE 3

13   il la couvre de cadeaux. Manon et le chevalier s'enfuient avec les bijoux

14   ils sont arrêtés. Le père du chevalier, un homme influent, demande la libération de son fils et l'exil de Manon en Amérique

15   là-bas, le gouverneur de La Nouvelle-Orléans veut que Manon épouse son neveu

16   Manon et le chevalier s'enfuient, mais Manon finit par mourir d'épuisement

Fanny
de Marcel Pagnol

La trilogie marseillaise (*Marius, Fanny, César*),
est née d'une nostalgie. « Exilé » à Paris, Marcel Pagnol voulait
rendre un hommage à la ville de son enfance.
Mission plus qu'accomplie.
Fanny est une pièce en trois actes, que l'on entend avant de la lire.
L'accent qui chante, Raimu-César qui traite ses clients ou ses amis de fadas
dans des envolées lyriques, Fanny-Orane Demazis, qui se languit
de Marius-Pierre Fresnay, a le « ballon » et va devenir la risée
de tout le port si le gentil Panisse ne l'épouse pas alors qu'elle est enceinte.
Le texte a été joué au théâtre, en 1931,
avant d'être adapté au cinéma par Marc Allégret.
Il faut bien reconnaître d'ailleurs que tous les personnages de Pagnol
ont d'abord été immortalisés par le cinéma
avant de l'être par les livres.

Marcel Pagnol naît à Aubagne en 1895, à quelques kilomètres de Marseille où il passera son enfance. Fils d'instituteur, il fonde une revue littéraire à 19 ans, « monte » à Paris où il se lie avec Marcel Achard et Joseph Kessel, et écrit des pièces sans grand succès jusqu'à *Jazz*, en 1926, qui lui entrouvre la porte de la gloire. Puis il enchaînera *Topaze, Marius* et *Fanny*. Au cinéma, ce sont de tels succès qu'il créé sa maison de production. Il va avoir plein d'enfants avec plein de femmes. Mais, en 1954, à la mort de la petite fille qu'il a eue avec Jacqueline Bouvier, il arrête le cinéma pour se consacrer à des livres de souvenirs (*La Gloire de mon père, Le Château de ma mère*). Il y aura encore quelques best-sellers comme *Manon des sources* et *Jean de Florette*. Il meurt en 1974.

Fanny

1 César est de mauvaise humeur

2 cela fait deux mois que son fils Marius est parti en mer

3 à côté du café, il y a Fanny qui tient une poissonnerie

4 Fanny est amoureuse de Marius

5   enfin, César reçoit
    une lettre

6   il fait sortir tout
    le monde pour la lire
    tranquillement

7   il n'y a qu'un
    tout petit mot
    pour Fanny

8   Panisse a déjà
    demandé plusieurs
    fois à Fanny de
    l'épouser

9   il a 50 ans,
il est gros, mais il sait
que Fanny est
enceinte de Marius

10   si on s'aperçoit
que Fanny est
enceinte, tout le
monde va se moquer

ce sera mon petiot, Fanny

la Fanny, elle s'est fait piquer par un moustique !

HA HA HA

11   ils se marient.
L'enfant naît, c'est
un garçon, ils
l'appellent Césario

12   Panisse est riche,
Fanny devient une
femme très élégante

comme le parrain

13 Marius revient, il est toujours amoureux de Fanny

14 il comprend que Césario est son fils

15 il veut récupérer Fanny

16 mais César raisonne son fils et lui dit qu'il ne peut pas faire ça à Panisse

Anna Karénine
de Léon Tolstoï

Comme d'autres classiques de cette époque,
Anna Karénine trouve sa source dans un fait divers.
En 1872, Anna Pirogova, abandonnée par son amant Bibikov,
un voisin et ami des Tolstoï, s'est jetée sous un train.
Cela fait quelque temps déjà que l'écrivain veut raconter l'histoire
d'une femme de la haute société qui se serait perdue par amour.
Mais il voudrait susciter la compassion du lecteur et non son jugement.
En mars 1873, *Guerre et Paix* tout juste terminé,
il commence donc le récit de cette femme adultère qui,
envahie par le désespoir, minée par la jalousie, finit par se suicider.
Il l'écrit sous forme de feuilleton (le manuscrit est recopié par madame Tolstoï)
et le publie de 1873 à 1877, avant qu'il ne sorte en livre l'année suivante.
Il n'en est pas satisfait. Son premier réflexe est de détester ce texte,
de le juger trop simple et trop insignifiant. Heureusement pour lui,
le public ne partage pas son avis. Ce sera un best-seller.

Léon Tolstoï naît le 28 août 1828, dans une famille de propriétaires terriens. Après des études médiocres qu'il ne terminera pas, il s'engage dans l'armée. À son retour, il s'installe à la campagne, où il se marie avec Sophie en 1862. Alors que tout va bien dans sa vie, il se sent angoissé, tourmenté par des crises de doute qui ressemblent fort à de la dépression. Aspirant à vivre comme les paysans (ce qu'il ne fait pas), prônant la chasteté dans le couple alors qu'il aura une ribambelle d'enfants), tour à tour aimant et détestant ce qu'il écrit, Tolstoï est pétri de contradictions. En 1910, recherchant la solitude, il quitte sa maison et sa famille. Mais il attrape froid en route et meurt le 7 novembre 1910.

Anna Karénine

1 Anna arrive de Saint-Pétersbourg, son frère vient la chercher à la gare

2 ils croisent le comte Vronski. C'est le coup de foudre entre Vronski et Anna

3 Anna est venue pour rabibocher son frère avec sa femme qu'il a trompée

4 pendant son court séjour, un bal est donné, elle danse toute la soirée avec Vronski

5   au grand désespoir
de Kitty qui pensait
que le comte allait
la demander en mariage

6   Anna repart
retrouver son mari et
son fils et fuit Vronski,
mais il la suit

7   le mari comprend
qu'il est cocu,
toute la ville jase

8   le mari refuse
de divorcer mais surtout
l'empêche de revoir
leur fils

9   Kitty s'est remise de son chagrin, elle épouse Lévine, son ami d'enfance

10   Anna accouche d'une petite fille, elle manque de mourir

11   elle s'en va en Italie avec Vronski, à son retour, son mari refuse toujours qu'elle revienne chez eux

12   du coup, elle part dans la somptueuse propriété à la campagne de Vronski

13   elle commence à devenir folle, séparée de son fils, et enchaîne les crises de jalousie

14   elle est affligée que son mari ne veuille pas divorcer

15   désespérée parce qu'elle pense à tort que Vronski l'aime moins, elle se suicide

16   inconsolable, Vronski part à la guerre combattre les Turcs

La Petite Fadette
de George Sand

De retour à Nohant, où elle a grandi, George Sand entame
une nouvelle carrière de romancière champêtre.
Elle a déjà publié *La Mare au Diable* en 1846, *François le Champi*
l'année suivante, et les deux premiers volumes d'une trilogie qu'elle clôt
avec *La Petite Fadette*. Elle a d'éminents fans, comme Zola et Proust
(*François le Champi* est un des livres favoris du jeune narrateur
de *La Recherche*). Elle tient, dans ces romans, à ressusciter son pays,
et ses textes sont d'ailleurs truffés de mots et d'expressions berrichones.
Parallèlement à la publication de ce livre en feuilleton,
elle débute la rédaction de son autobiographie, *Histoire de ma vie*,
dans laquelle elle se souvient de son enfance de sauvageonne.
Les deux démarches littéraires s'influencent l'une l'autre,
s'entremêlent, au point que la petite Fadette et la jeune Aurore Dupin
(son vrai nom) en viennent parfois à se confondre.

Aurore Dupin naît le 1er juillet 1804. Elle passe son enfance à la campagne et se régale
des histoires racontées à la veillée qui, plus tard, nourriront son œuvre. À 13 ans, elle est
envoyée en pension dans un couvent parisien. Elle déteste. À 18 ans, on la marie au baron
Dudevant. Elle déteste aussi. Et le quitte. Revenue à Paris, elle fait scandale en s'habillant
en homme et en enchaînant les liaisons. Avec Alfred de Musset, par exemple, qu'elle quitte
pour un médecin vénitien, Pietro Pagello. En 1832, elle devient George Sand et va bientôt
tomber amoureuse de Chopin, avec lequel elle vivra une dizaine d'années, son record.
Passionnée de politique, prônant des idées socialistes mais déçue par la tournure que
prennent les événements, elle retourne à la campagne, où elle reçoit ses amis écrivains,
devenant ainsi « la bonne dame de Nohant ». Elle meurt le 8 juin 1876.

1 Landry et Sylvinet sont jumeaux et ne se quittent jamais

2 quand ils ont 15 ans, leurs parents décident de les séparer

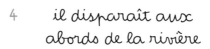

3 Landry s'habitue à sa nouvelle vie, Sylvinet, lui, est triste

4 il disparaît aux abords de la rivière

5   Landry a peur
    qu'il se soit suicidé
    et va demander de
    l'aide à la mère Fadet

6   il tombe sur Fadette,
    une pauvre fille
    abandonnée par
    sa mère

7   Landry ne vient
    pas la remercier,
    Fadette est vexée

8   à nouveau, elle
    vient à son secours,
    car il est paniqué

9   elle lui dit : « pour me remercier, au bal, tu danseras avec moi »

10   il a honte de danser avec Fadette, elle est moche et mal habillée

11   ils finissent par devenir amis. Elle est amoureuse de lui depuis longtemps

12   Fadette se relooke, elle retaille ses vêtements

13   Landry tombe amoureux d'elle. Son père n'est pas content

14   Fadette s'en va pour apaiser le climat, elle revient à la mort de sa grand-mère

15   le père de Landry, du coup, la trouve moins folle

16   Sylvinet part à l'armée

Mort sur le Nil
d'Agatha Christie

« Un archéologue est le mari idéal pour une femme.
Plus elle vieillit, plus il doit s'intéresser à elle », constatait Agatha Christie
avec cette pointe d'humour qu'elle a transmise à son célébrissime détective,
Hercule Poirot. Mais un mari archéologue est aussi une source d'inspiration
inépuisable, comme le démontre *Mort sur le Nil* et quelques autres titres.
Un premier voyage au Caire en compagnie de sa mère cependant,
alors qu'elle n'a que 17 ans, lui donne l'idée d'une intrigue titrée
Neige sur le désert. Une deuxième expédition au pays des pyramides
avec Max Mallowan, son second mari, et leur visite de la tombe
de Toutânkhamon récemment découverte, enflamment son imagination.
Tout en suivant Max sur les chantiers de fouille, elle écrit.
Ce roman est l'un de ses plus fameux, avec Hercule Poirot dans le rôle
du détective, qui a remplacé au pied levé Miss Marple initialement prévue
pour mener l'enquête.

Agatha Miller naît le 15 septembre 1890, à Torquay. En 1914, elle se marie avec Archibald
Christie et travaille dans un hôpital militaire où elle acquiert les connaissances toxicolo-
giques qui l'aideront à assassiner ses personnages. En 1919, elle a une fille, Rosalind, et
publie son premier roman, *La mystérieuse affaire de Styles*, l'année suivante. La mort de sa
mère et la découverte de l'infidélité de son mari sont-elles à l'origine de sa disparition ? Le
mystère reste entier, mais elle s'évapore dans la nature le 3 décembre 1926 et réapparaît
douze jours plus tard dans un petit hôtel au bord de la mer. En 1930, elle épouse Max
Mallowan. Elle reste l'une des auteures les plus lues au monde, même après sa mort, en
1976, qui suivit d'un an celle de son héros fétiche, Hercule Poirot.

Mort sur le Nil

1   Hercule Poirot,
    détective

2   Linnet Ridgeway,
    très riche, très belle,
    très blonde

3   Jacqueline de Bellefort,
    dite Jackie, meilleure
    amie de Linnet, fauchée

4   Simon Doyle, grand,
    yeux bleus,
    fiancé de Jacqueline

à
moitié
française

5   Mrs Otterbourne, romancière spécialisée dans les histoires érotiques, alcoolique

6   le docteur Ludwig Bessner, médecin allemand

7   le livre commence dans le manoir que Linnet vient de s'offrir

8   Jacqueline vient lui présenter son fiancé Simon Doyle

beautiful ¿isn't it?

il pourrait s'occuper de ton domaine,

9   quelques semaines plus tard, Hercule Poirot est à la terrasse de l'hôtel Cataract, à Assouan

10   il voit arriver Linnet et Simon qui sont en voyage de noces

11   Jackie, dévastée que son amie lui ait piqué son fiancé, décide de les suivre partout

12   on retrouve tous les personnages sur un bateau qui descend le Nil

13   ils arrivent à Abou
Simbel et vont visiter
les temples

14   pendant la visite,
un gros rocher
tombe et manque
de tuer Linnet

15   ils remontent tous
sur le bateau

16   là, Jackie, par dépit,
tire sur Simon et
le blesse

17   quelques heures plus tard, on retrouve Linnet morte, dans sa cabine, d'une balle dans la tête

18   Hercule Poirot demande à ce qu'on fouille les cabines

19   on découvre la femme de chambre de Linnet assassinée

20   à côté d'elle, un billet de banque déchiré

21 pour Poirot,
ça ne fait aucun doute

22 Mrs Otterbourne,
à moitié ivre, vient
dire à Poirot

23 elle n'a pas le
temps de terminer
sa phrase

24 que...

25   Hercule Poirot
réfléchit

26   flash-back : Jackie
et Simon avaient
un plan

27   Jackie fait semblant
de tirer sur Simon

28   dans l'affolement,
Simon en profite
pour tuer sa femme
et part se tirer dans
la jambe

29 Jackie tue la femme de chambre qui voulait la faire chanter

30 Jackie tue également Mrs Otterbourne avant qu'elle ne donne de nom et va faire semblant de dormir dans sa cabine

31 Simon et Jackie vont être remis à la police, mais Jackie tue Simon

32 et se suicide

Mrs Dalloway
de Virginia Woolf

Le quatrième roman de Virginia Woolf paraît en 1925,
à la fois en Angleterre et aux États-Unis,
avec une couverture dessinée par sa sœur, Vanessa Bell.
Les personnages de Clarissa et Richard Dalloway apparaissent
une première fois en 1915, dans *La Traversée des apparences*, puis
une deuxième, en 1923, dans *Mrs Dalloway à Bond Street*, une nouvelle.
Virginia projette d'intégrer celle-ci dans un recueil, mais change d'avis
pour se concentrer sur ce long texte qu'elle remaniera toutefois
à de nombreuses reprises jusqu'à sa publication. Ce récit d'une journée
londonienne à travers la perception fragmentée de plusieurs protagonistes est
bien accueilli par la critique, et mieux encore par ses éminents amis.
Cet ouvrage, l'un de ses plus populaires,
a inspiré à Michael Cunningham son roman-hommage,
Les heures (titre que Virginia Woolf avait d'abord envisagé pour son livre),
superbement adapté au cinéma par Stephen Daldry en 2002.

Virginia Stephen naît le 25 janvier 1882. Elle a deux frères et une sœur. En 1895, leur mère meurt, et Virginia fait la première d'une longue série de dépressions. En 1897, elle commence à tenir son journal (une merveille), puis déménage à Bloomsbury, un quartier de Londres abritant une véritable pépinière artistique et intellectuelle. En 1912, elle épouse Leonard Woolf et publie son premier roman en 1915, *La Traversée des apparences*. En 1917, elle crée avec son mari la maison d'édition Hogarth Press. Si le couple s'entend bien, cela n'empêchera pas Virginia d'avoir une longue liaison homosexuelle avec Vita Sackville-West. Elle se suicidera le 28 mars 1941, en se jetant dans une rivière les poches lestées de cailloux.

Mrs Dalloway

1   Clarissa Dalloway,
    la cinquantaine,
    appartient à
    la haute société

2   elle organise ce soir
    une grande réception

3   sur le chemin,
    elle croise une Rolls

4   elle reçoit la visite
    inopinée d'un
    ancien amoureux

5   il était parti en Inde
depuis 30 ans, après
qu'elle eut choisi
d'épouser Richard

6   en le revoyant,
elle se demande si elle
a fait le bon choix

7   lui éprouve toujours
quelque chose, mais
il se souvient

8   mais surtout, il
lui en veut de s'être
mariée avec Richard

9 Clarissa invite Peter à sa fête

10 parallèlement, l'auteure nous raconte une autre histoire : Septimus Warren Smith ne se remet pas de la guerre

11 son psy, William Bradshaw, veut le faire interner

12 quand le psy vient le chercher chez lui, Septimus ne veut pas aller à l'hôpital

13   la soirée est une
réussite

14   même le Premier
Ministre vient faire
une petite visite

15   pendant la party,
le psy Bradshaw
raconte le cas d'un patient
(et là, on comprend
pourquoi l'auteure nous
a parlé de Septimus
Warren Smith)

16   Peter, lui, est tout
émoustillé d'être auprès
de Clarissa

La Mort à Venise
de Thomas Mann

Cette longue nouvelle s'inspire de plusieurs scènes authentiques.
Lorsqu'il part quelques jours se reposer à Venise en compagnie
de sa femme Katia et de son frère Heinrich, Thomas Mann est épuisé.
Tous trois s'installent au Grand Hôtel des Bains, sur l'île du Lido où se déroulera
La Mort à Venise. Il aperçoit sur la plage un jeune baron polonais
qui le fascine. Ce sera le fameux Tadzio, dont l'écrivain Gustav von Aschenbach,
le héros du livre, tombera amoureux. C'est plutôt courageux
pour un homme marié et père de famille de se livrer ainsi dans un texte.
Thomas Mann ne cache pas l'aspect autobiographique du personnage
principal, mais précise qu'il s'est également inspiré de l'amour fou
(hétérosexuel celui-ci) que Goethe éprouva alors qu'il avait 70 ans
pour une jeune fille de 17. Ce récit est hanté par le thème de la mort,
de la jeunesse envolée et de l'art. On le sait, cette histoire se terminera mal
puisque Gustav mourra du choléra lors d'une dernière promenade
sur la plage. Thomas Mann, lui, se contentera de rentrez chez lui à Munich.

Thomas Mann naît le 6 juin 1875 à Lübeck, mais grandit à Munich. Mauvais élève mais bon lecteur et amateur de musique, il publiera avec succès *Les Buddenbrook* en 1901, *La Mort à Venise* en 1912 et *La Montagne magique* en 1924, pour ne citer que les plus connus. Entre-temps, il s'est marié avec Katia Pringsheim et a eu six enfants. Un temps passionné de politique, il la délaisse pour se consacrer à son art. Lorsque les nazis arrivent au pouvoir, il se trouve à l'étranger et décide de ne pas rentrer en Allemagne. Il s'exilera avec sa famille d'abord en Suisse, puis aux États-Unis, avant de revenir en Europe après la guerre. Il remporte le prix Nobel en 1929 et meurt en 1955.

La mort à Venise

1   Nous sommes en 1911. Gustav von Aschenbach décide de prendre des vacances

2   il part à Venise et séjourne à l'hôtel des Bains

écrivain allemand connu

la plage du Lido

3   le soir, au dîner, il remarque à la table d'à côté une famille de Polonais

4   surtout le jeune garçon, incroyablement beau

5   il ressemble à une
statue grecque

6   l'écrivain est
absolument fasciné
par sa beauté

Tadzio

je frémis

7   ça tourne à l'obsession.
Chaque matin à
la plage, il passe
son temps à l'observer

8   il se met à le suivre
lorsqu'il visite
Venise avec
sa famille

il est divin

9 quand il vogue
   en gondole
   sur les canaux

10 quand il assiste
   à la messe du dimanche
   à la basilique
   Saint-Marc

11 le garçon s'aperçoit
   du manège, cela ne
   semble pas lui
   déplaire

12 la famille aussi
   l'a repéré
   et le surveille

13   une forte épidémie
de choléra se propage
dans Venise. La ville
se vide peu à peu

14   les Polonais restent,
Gustav aussi.
Il devient
très coquet

se
teint
les
cheveux

se maquille
pour paraître
plus jeune

15   les Polonais s'en vont,
il observe une dernière
fois Tadzio
à la plage

16   il meurt du choléra
mais il aura profité
de sa passion
jusqu'au bout

erye
erye,
la mer

ouais, j'ai
kiffé à
mort

Frankenstein
de Mary Shelley

Imaginez un été calamiteux, pas de soleil, des orages incessants.
Et une bande de copains reclus dans une belle maison
avec vue sur le lac Léman, certes, mais dont il est impossible de sortir.
Ils auraient pu entamer une partie de cartes, ils ont préféré lire à haute voix
d'horribles contes allemands. Et pourquoi n'écriraient-ils pas eux aussi
des histoires de spectres ? C'est ainsi que Lord Byron et ses amis
(dont Percy et Mary Shelley) se sont lancé un défi.
Pendant la nuit, la jeune femme fait un cauchemar
et « voit » un homme en train de donner vie à un monstre.
« Ce qui m'a terrifiée terrifiera les autres », pense-t-elle,
alors elle commence une nouvelle, que son mari la pousse à transformer
en roman. Ce sera *Frankenstein*, du nom non pas du monstre
mais du savant qui l'a créé. Un livre d'abord publié sans signature
(ainsi tout le monde a imaginé que Percy Shelley en était l'auteur),
avant que Mary n'en revendique la maternité.

Mary Shelley naît le 30 août 1797. À 17 ans, elle tombe amoureuse du poète Percy
Bysshe Shelley. Il est marié, elle est mineure : il l'enlève et attendra la mort de sa première
femme, deux ans plus tard, pour l'épouser. Ce qui ne l'empêchera pas, à la même époque,
d'avoir probablement une liaison avec Claire, la demi-sœur de Mary, qui tombera, elle,
amoureuse de Byron ! Très cultivée (elle a appris le grec, le latin, le français et l'italien),
Mary publie *Frankenstein*, son premier roman, l'année suivante en trois volumes. Son mari,
parti faire une balade en bateau, se noie en 1822. Mary continue à écrire mais aucun livre
ne remportera le même succès que ce chef-d'œuvre. Elle meurt en 1851.

Frankenstein

1 Victor Frankenstein
part étudier la chimie
et la physique
en Allemagne

2 là-bas, il découvre
le secret de la vie
et décide de créer
un être vivant

3 le monstre s'enfuit,
il espionne les gens
et a envie de parler
avec eux

4 furieux d'être
considéré comme
une bête monstrueuse,
il tue le frère
de Victor, William

5 Victor aperçoit le monstre au loin et comprend que c'est lui qui a tué son frère

6 mais c'est la servante, Juliette, qui est accusée du meurtre

mais qu'est-ce que j'ai fait

vous avez la chaîne du mort dans votre poche

7 c'est le monstre qui a placé dans sa poche le collier pour la faire condamner

8 Victor se sent très coupable mais n'ose avouer à personne l'existence de la bête

lala

oh, la, la, la, la! mais qu'est-ce que j'ai fait!!

9 il retrouve le monstre qui lui explique pourquoi il est devenu si méchant

10 le monstre lui demande de créer une femme aussi vilaine que lui

11 Victor accepte mais, en y réfléchissant, il se rétracte

12 le monstre, furieux, étrangle son meilleur ami

13   le monstre tue
aussi Elizabeth,
la femme qu'il vient
d'épouser

14   Victor parcourt
le monde pour
retrouver la bête

15   mais il finit par
mourir au pôle Nord

16   le monstre s'en veut
de tout ce qu'il
a fait subir à Victor

L'Attrape-cœurs
de J. D. Salinger

Attention, mythe ! Ce récit d'un adolescent de 17 ans, écrit à la première
personne, a été entouré depuis sa parution en 1951,
d'une aura due au ton novateur de l'écriture (langage parlé),
mais aussi au silence dans lequel s'est muré l'auteur
et au peu de livres qu'il a publiés. L'histoire se déroule sur trois jours,
à la veille de Noël, et décrit la déambulation dans New York
du jeune Holden Caulfield, renvoyé une nouvelle fois de son école.
Si l'intrigue semble au fond assez légère, voire même décousue,
le désespoir de ce jeune homme au bord de la dépression est
en revanche omniprésent. Le personnage de Holden Caulfield apparaît
une première fois dans une nouvelle parue dans le *New Yorker* en 1946,
avant de devenir le héros de *L'Attrape-cœurs* cinq ans plus tard.
Son mal de vivre, sa difficulté à communiquer avec les adultes,
sa hantise de la mort toucheront des millions de lecteurs.

erome David Salinger naît le 1er janvier 1919. Il étudie dans des écoles de l'Upper West Side
vant d'entrer à l'académie militaire de Valley Forge qui servira de modèle au lycée Pencey
rep, dont le jeune narrateur est renvoyé. Il rêve d'écrire, mais son père, importateur de pro-
uits alimentaires de luxe l'expédie en Europe pour qu'il se familiarise avec l'univers… de la
harcuterie ! De retour à New York, il abandonne le saucisson et suit un atelier d'écriture à
Columbia, avant de s'engager dans l'armée et de participer au débarquement de Normandie
nsi qu'à la libération de Paris. Une fois rentré au bercail, il publie quelques livres, se marie
vec Claire Douglas dont il aura deux enfants, et finit par « s'exiler » à Cornish, dans le
New Hampshire, où il mènera une existence cloîtrée jusqu'à sa mort, en 2010.

L'Attrape-cœurs

1   Holden Caulfield a 17 ans, ce sont les derniers jours de classe au collège, en Pennsylvanie

2   il est viré de l'école pour la quatrième fois

je suis un cancre, je rate tous mes examens

3   en plus, alors qu'il est le capitaine de l'équipe d'escrime, il oublie toutes les épées

dans le métro

4   il a un grand frère, D.B., qui vit à Hollywood

et une sœur, Phœbe, qu'il adore

10 → ans

5   mais depuis
quelque temps,
la vie pour Holden
est difficile

6   il décide de ne plus
aller à l'école

son frère Allie
est mort d'une
leucémie

et préfère
errer
dans
les
rues
de NY

7   il rêve de
Jane Gallagher

8   il va au théatre

ma voisine

THÉÂTRE

avec
sa
copine
Sally

9   comme il est puceau,
il va voir une
prostituée

10   il va voir sa sœur,
mais se cache quand
les parents rentrent

mais se
dégonfle
au moment
crucial

dans la penderie

11   il se réfugie chez
un ancien prof
qu'il aime beaucoup,
monsieur Antolini

12   pendant la nuit,
monsieur Antolini
essaye de le tripoter

13 Holden et sa soeur se retrouvent au zoo, elle veut partir avec lui

14 il finit par rentrer chez ses parents puis tombe malade

15 il ira dans un nouveau collège l'année prochaine

16 et ses anciens camarades, qu'il ne supportait pas, lui manquent déjà

Notre-Dame de Paris
de Victor Hugo

Lorsqu'il signe le contrat avec son éditeur en 1828,
Victor Hugo promet son manuscrit pour l'année suivante.
Mais il est distrait par d'autres projets et perd une partie de son texte
pendant la révolution de Juillet. L'histoire de Quasimodo et Esmeralda sortira
enfin en 1831, et recevra un très bel accueil du public et de la critique,
malgré quelques notes discordantes du côté de Balzac notamment (« deux
belles scènes, trois mots, le tout invraisemblable, deux descriptions,
la belle et la bête et un déluge de mauvais goût » !).
Comme il l'explique dans sa préface, à l'origine du roman se trouve
une simple inscription en grec (« *ananké* », dont la traduction française est
« fatalité ») sur l'une des tours de Notre-Dame. Qui l'avait écrite,
pourquoi, quand ? En se posant toutes ces questions,
le romancier imagine Paris au XVe siècle, avec sa diversité, sa misère,
mais aussi ses joyaux architecturaux qu'il faut, selon lui, arrêter de massacrer.
Son livre encouragera l'architecte Viollet-le-Duc à restituer la cathédrale
telle qu'elle était au Moyen Âge. Une discussion qui se poursuit aujourd'hui.

Victor Hugo naît le 26 février 1802. Il épouse une amie d'enfance, Adèle Foucher, qu'il quitte quelques années plus tard (mais sans jamais rompre complètement) pour Juliette Drouet. Dévasté par la mort accidentelle de sa fille Léopoldine (la deuxième de ses cinq enfants), il lui consacre des poèmes réunis dans *Les Contemplations*. À cause de ses engagements politiques (républicain, il s'oppose à Napoléon III et signe un texte intitulé *Napoléon le Petit*), il s'exile à Jersey puis Guernesey mais n'en devient pas silencieux pour autant. De retour à Paris en 1870, il meurt quinze ans plus tard et sera célébré par des obsèques nationales.

Notre-Dame de Paris

1 Un enfant a été abandonné dans la cathédrale Notre-Dame

2 aujourd'hui, cet enfant a 20 ans

3 sur le parvis de Notre-Dame, Esmeralda danse

4 Quasimodo considère Notre-Dame comme sa maison et il adore son job

5   il est fou d'amour pour Esmeralda, il essaye de l'enlever

6   un jeune soldat, Phoebus, vient au secours de la jeune femme

7   Quasimodo est arrêté pour tentative d'enlèvement

8   Esmeralda, qui a pitié de lui, lui apporte à boire

9   Esmeralda est tombée amoureuse de Phoebus

10 le prêtre de Notre-Dame, Frollo, est dingo d'Esmeralda, il la regarde danser, tous les jours

11   il est tellement fou de jalousie, qu'il poignarde Phoebus et s'enfuit

12   Esmeralda est immédiatement accusée

13 elle commence par
    nier mais finit
    par avouer
    n'importe quoi

14 Frollo, le prêtre
    meurtrier, vient
    la voir en prison

15 elle est amenée
    sur la place
    publique

16 elle aperçoit
    l'homme qu'elle aime,
    Phoebus, qui drague
    une autre femme

17 pour sauver
Esmeralda, Quasimodo
assomme les bourreaux

18 et il enlève
Esmeralda

19 il l'emmène
dans la cathédrale,
là où la justice
des hommes ne
peut pas s'appliquer

20 Esmeralda et
Quasimodo
deviennent amis

21 il va même chercher le capitaine Phoebus

22 le prêtre essaye de la violer, heureusement Quasimodo l'en empêche

23 pensant la libérer de Quasimodo, ses amis bandits tentent de la délivrer

24 un autre homme cagoulé essaye aussi de la sortir de là

25 c'est le prêtre déguisé.
    Il lui dit « c'est moi
    ou le gibet »

26 elle s'échappe
    et est recueillie
    par une vieille recluse,
    Gudule

27 Gudule lui raconte
    son histoire

28

29   alors qu'Esmeralda   30   elle est capturée
        savoure la joie   et pendue
        de retrouver sa mère

31   pour se venger   32   des années plus tard,
     du prêtre, Quasimodo   on retrouve les corps
le jette du haut d'une tour   enlacés de Quasimodo
       puis il disparaît   et Esmeralda

Le Comte de Monte-Cristo
d'Alexandre Dumas

Quintessence du romanesque, *Le Comte de Monte-Cristo* se veut également une peinture de la société de la Restauration : les méchants ont retourné leurs redingotes sans hésiter, et les gentils sont restés fidèles à Napoléon. Mais ce qui prime quand même dans ce livre, c'est cette vengeance rocambolesque qui, aussi incroyable que cela paraisse, est tirée d'une anecdote authentique recensée dans les archives de la police : un homme, Francis Picaud, sur le point de se marier, avait été dénoncé à tort par ses « amis » comme agent secret de Louis XVIII et expédié en prison sans que sa famille sache où il se trouvait. Libéré sept ans plus tard, riche (un prélat italien lui ayant légué ses biens), il avait décidé de se venger. Mais la fin sera plus tragique que celle de Dumas. Dès sa parution en 1846, ce livre est un best-seller. Dans la foulée, Alexandre Dumas devient l'un des romanciers les plus populaires de son temps (et du nôtre) et le maître du roman-feuilleton.

Alexandre Dumas (à ne pas confondre avec son fils, auteur de *La Dame aux camélias*), naît le 24 juillet 1802. Pour gagner sa vie, il déniche des petits boulots, mais il rêve d'écrire. Très prolifique, il publiera tout au long de sa vie environ quatre-vingts romans, dont certains seront écrits en collaboration avec Maquet, son « nègre » officiel. Notamment quelques titres mythiques : *Les Trois Mousquetaires*, *Vingt ans après*, *La Reine Margot* et bien sûr *Le Comte de Monte-Cristo*. Alexandre Dumas mène une vie presque aussi agitée que celle de ses héros : fuyant les créanciers en Belgique (il a dépensé énormément d'argent pour adapter ses livres au théâtre), il fait ensuite du trafic d'armes en Sicile, devient conservateur de musée à Naples et revient à Paris, fauché et désormais à la charge d'Alexandre junior. Il meurt en 1870.

Le Comte de Monte-Cristo

1 Le « Pharaon » rentre au port, avec Edmond Dantès aux commandes

2 il est jeune et courageux, il remplace le capitaine du bateau qui est mort

Smyrne

Marseille

← il a 18 ans

3 afin de respecter les dernières volontés du capitaine agonisant, Edmond fait une halte sur l'île d'Elbe

4 c'est interdit de s'y arrêter car Napoléon y est en exil.

↑ pour déposer un paquet

pour vous

154

5 le capitaine
lui a aussi remis
une lettre qu'il
doit porter à Paris

6 à son arrivée à Marseille,
le propriétaire du
bateau, l'armateur
Morrel, le félicite

vous avez
été
REMARQUABLE,
je vous
nomme
Capitaine

7 Edmond rentre très
heureux chez lui.
Il retrouve son vieux
père malade

et sa fiancée
Mercédès

8 Fernand, le cousin
de Mercédès qui est
amoureux d'elle, et
Danglars, le comptable
du bateau, sont jaloux
d'Edmond

ils
complotent

9 ils écrivent une lettre de dénonciation où ils accusent Edmond d'être un espion bonapartiste

10 pendant son repas de fiançailles, Edmond est arrêté

11 il est interrogé par Villefort, le procureur du roi

12 Edmond sort de sa poche la lettre bonapartiste qu'il doit remettre au père de Villefort, mais le procureur, lui, est un fervent royaliste

13   terrorisé à l'idée
d'être soupçonné,
le procureur Villefort
envoie Edmond
en prison, sans procès

14   personne de sa
famille ne sait où
Edmond se trouve

il va rester
14 ans en
prison

15   il devient ami avec son
voisin de cellule, l'abbé
Faria. Ils creusent
une galerie entre leurs
deux cachots

je connais la cachette
d'un trésor

16   l'abbé, qui est érudit et
plein de sagesse, instruit
intellectuellement et
spirituellement Edmond

mon trésor est sur un
rocher, le Monte-Cristo

17 l'abbé meurt, Edmond met le corps de son ami dans son lit

18 il pense qu'il va être enterré

et prend sa place dans le sac mortuaire ↓

PLOUF

mais il est jeté à l'eau, lesté d'un boulet

19 il réussit à sortir et se fait recueillir par un bateau italien

20 il est méconnaissable, son visage s'est ridé, durci

grazie

je jure de me venger

21 les Italiens le déposent
sur l'île de Monte-Cristo

22 avec l'argent du trésor,
il achète un bateau
et rentre à Marseille

23   ses ennemis ont
fait fortune : Danglars
comme banquier et
Fernand dans l'armée

24   et pire que tout,
Mercédès a épousé
Fernand

25 Morrel l'armateur est ruiné, Edmond le sauve en lui prêtant de l'argent

merci, tu es bon, Edmond

26 Edmond, après un long voyage en Orient, revient à Paris

il est grand temps d'assouvir ma vengeance

27 Edmond se fait désormais appeler le comte de Monte-Cristo

il s'achète un hôtel particulier à Auteuil

28 il vit avec une femme somptueuse, Haydée

qui avait été vendue comme esclave en Turquie

29 le comte découvre que   30   le Comte dénonce
    le père d'Haydée était   Fernand
    un pacha mais qu'il a été   comme traître
    trahi par un Français

31 le comte raconte tout   32   le comte ruine
    à Mercédès, elle quitte   Danglars
    son mari

33 Le procureur Villefort
est rongé par
les remords

34 à l'instigation
d'Edmond Dantès, elle a tué
toute sa belle-famille
pour que son fils
soit le seul héritier

35 mais comme elle est
démasquée, elle tue
son fils et se suicide

36 Mercédès sait
qu' Edmond l'aime
encore

37 Mercédès abandonne la fortune mal acquise par son mari

38 le comte lui laisse la petite maison de son père

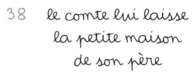

39 puis il part voir une dernière fois sa cellule sur l'île d'If

40 avant de naviguer aux quatre coins du monde avec Haydée

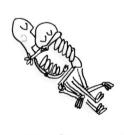

Conception graphique : Marie Pécastaing et Rue de Sèvres

SOLEDAD BRAVI

Le Livre des bruits
Le Livre des cris
Poulpo et Poulpette
Le Cyclope
Drago
Le Livre des plus petits
Chez moi
Dans la serre je serre un cerf
1,2,3,4 pattes
Si j'étais grand
Quand le chat n'est pas là
Animaux
Fruits légumes
Pompons et chiffons
Zoé
Maraboutdeficelle
Comme cochons

La Girafe jaune, le crocodile vert,
Le cochon rose
et le perroquet rouge
Le Livre des couleurs
Ma famille à colorier
Le Livre qui sent bon
Minibible en images
J'ai mis dans ma valise
Maman, dans tes bras
Choisis un animal
Maman,
comment on fait les bébés ?
Que font les animaux
quand il pleut ?
Une journée avec le Père Noël
Mon petit doigt m'a dit

Avec Jérôme Lambert :
Les bisous c'est sur la joue

Avec Nathalie Laurent :
Le Cheval de Troie
Éole, Circé et les Sirènes
La Ruse d'Ulysse
Moustache
Le Grand Livre des rêves
Je pleure donc je ris
Abracadanoir
Tigrrr
Le Monstre

Avec Vincent Malone :
Amour, brouille et câlin

Avec Grégoire Solotareff :
Mon lapin

Avec Hervé Éparvier :
Le Livre des j'aime

CHEZ LE MÊME ÉDITEUR

La BD de Soledad, la compile de l'année. T1
La BD de Soledad, la compile de l'année. T2
La BD de Soledad, la compile de l'année. T3
La BD de Soledad, la compile de l'année. T4
La BD de Soledad, la compile de l'année. T5

L'Iliade et l'Odyssée
POURQUOI y a-t-il des inégalités
entre les hommes et les femmes ?
Avez-vous lu les classiques
de la littérature ? T1

CHEZ MARABOUT

Les Paresseuses BD1
Les Paresseuses BD2
Pourquoi j'suis pas aux Maldives ?
New York et moi

Avec Juliette Dumas :
Shine ou not shine ?
Avec Pierre Hermé :
Pierre Hermé et moi

CHEZ CASTERMAN

Restons calmes
Avec Alix Girod de l'Ain :
La Vraie Vie du docteur Aga

CHEZ MILAN ET DEMI

Marie-Puce

CHEZ SOLAR

101 choses que je voudrais
dire à ma fille
101 choses que je voudrais
dire à mon fils
101 choses que je voudrais
dire à mes copines

CHEZ BAYARD
Avec Lili Bravi :
Le Pigeon qui voulait être
un canard

CHEZ DENOËL
GRAPHIC
Bart is back